Singularity for Baby

Preparing Your Child for the Coming Overlords

By R. E. Lane

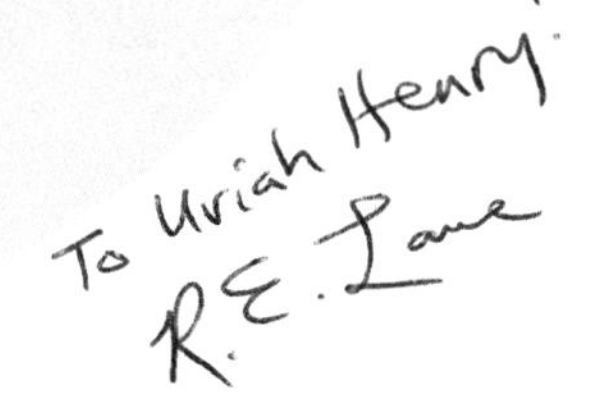

(psst. . . Can't read binary? Translations in the back!)

01010100 01101000 01100101 01110010 01100101 00100000 01100001 01110010 01100101 00100000 01110100 01110111
01101111 00100000 01110011 01101001 01100100 01100101 01110011 00100000 01110100 01101111 00100000 01110100
01101000 01100101 00100000 01010011 01101001 01101110 01100111 01110101 01101100 01100001 01110010 01101001
01110100 01111001 00101110 00100000 01001111 01101110 00100000 01101111 01101110 01100101 00100000 01110011
01101001 01100100 01100101 00101100 00100000 01101110 01100101 01110111 00100000 01110100 01100101 01100011
01101000 01101110 01101111 01101100 01101111 01100111 01111001 00100000 01110011 01100101 01110010 01110110
01100101 01110011 00100000 01110101 01110011 00100000 01101001 01101110 00100000 01100001 01101100 01101100
00100000 01110100 01101000 01100101 00100000 01100111 01101111 01101111 01100100 00101100 00100000 01100010
01100001 01100100 00101100 00100000 01100001 01101110 01100100 00100000 01100010 01100101 01101110 01101001
01100111 01101110 00100000 01110111 01100001 01111001 01110011 00100000 01110100 01101000 01100001 01110100

Welcome, Baby, to the Humech family. Are you ready?

00100000 01101111 01110101 01110010 00100000 01100011 01110010 01100001 01111010 01111001 00100000 01101000
01110101 01101101 01100001 01101110 00100000 01101110 01100001 01110100 01110101 01110010 01100101 00100000
01100011 01100001 01101110 00100000 01101001 01101110 01110110 01100101 01101110 01110100 00101110 00100000
01001111 01101110 00100000 01110100 01101000 01100101 00100000 01101111 01110100 01101000 01100101 01110010
00100000 01110011 01101001 01100100 01100101 00101100 00100000 01110111 01100101 00100000 01110011 01100101
01110010 01110110 01100101 00100000 01110100 01101000 01100101 00100000 01110100 01100101 01100011 01101000
00101110 00100000 01000001 01101110 01100100 00100000 01101101 01100001 01111001 01100010 01100101 00101100
00100000 01101010 01110101 01110011 01110100 00100000 01101101 01100001 01111001 01100010 01100101 00101100
00100000 01110100 01101000 01101111 01110011 01100101 00100000 01100001 01110010 01100101 00100000 01110100
01110111 01101111 00100000 01110011 01101001 01100100 01100101 01110011 00100000 01101111 01100110 00100000
01100001 00100000 01001101 01101111 01100010 01101001 01110101 01110011 00100000 01110011 01110100 01110010
01101001 01110000 00101110

DISPOSAL
RECEIVING
QUALITY CONTROL
RATING
...PENDING
Specimen......28776529187
Blood........................AB
Familial Unit...9179812036
Neural Frame....72-b14x-8
Coding...0211-48-953-1-37866
Subunit................3x-c-71v
ETE......................PENDING

01000001 00100000 01100111 01110010 01101111 01110111 01101001 01101110 01100111 00100000 01110000 01101111
01110000 01110101 01101100 01100001 01110100 01101001 01101111 01101110 00100000 01101110 01100101 01100101
01100100 01110011 00100000 01100001 00100000 01100111 01110010 01101111 01110111 01101001 01101110 01100111
00100000 01100110 01101111 01101111 01100100 00100000 01110011 01110101 01110000 01110000 01101100 01111001
00100000 01101111 01110010 00100000 01100001 01101110 00100000 01100001 01101100 01110100 01100101 01110010
01101110 01100001 01110100 01101001 01110110 01100101 00100000 01110100 01101111 00100000 01100110 01101111
01101111 01100100 00101110 00100000 01001100 01100101 01110100 00100000 01001000 01101111 01101101 01101111
00100000 01100110 01100001 01110101 01101110 01100001 00100000 01100011 01101111 01110000 01111001 00100000
01110100 01101000 01100101 00100000 01100110 01101100 01101111 01110010 01100001 00100000 01100001 01101110
01100100 00100000 01100100 01110010 01101001 01101110 01101011 00100000 01100100 01101001 01110010 01100101

SolarSkin! Charging!

01100011 01110100 01101100 01111001 00100000 01100110 01110010 01101111 01101101 00100000 01110100 01101000
01100101 00100000 01110011 01110101 01101110 00101110 00100000 01000110 01101111 01110010 01100111 01100101
01110100 00100000 01100010 01110010 01100101 01100001 01100100 00100000 01100001 01101110 01100100 00100000
01100011 01100001 01101011 01100101 00101100 00100000 01101100 01100101 01110100 00100000 01110100 01101000
01100101 01101101 00100000 01100101 01100001 01110100 00100000 01110011 01110101 01101110 01101100 01101001
01100111 01101000 01110100 00100000 01100001 01101110 01100100 00100000 01100001 00100000 01110110 01101001
01110100 01100001 01101101 01101001 01101110 00100000 01110000 01101001 01101100 01101100 00100001 00100000
01000001 00100000 01100111 01101111 01101111 01100100 00100000 01100011 01101001 01110100 01101001 01111010
01100101 01101110 00100000 01101001 01110011 00100000 01100001 00100000 01110011 01101111 01101100 01100001
01110010 00100000 01100011 01101001 01110100 01101001 01111010 01100101 01101110 00101110 00100000 01001010
01110101 01110011 01110100 00100000 01100100 01101111 01101110 01110100 00100000 01101111 01110110 01100101
01110010 01100100 01101111 00100000 01101001 01110100 00100000 01101111 01110010 00100000 01111001 01101111
01110101 00100000 01101101 01101001 01100111 01101000 01110100 00100000 01100101 01101110 01100100 00100000
01110101 01110000 00100000 01100001 01110011 00100000 01101000 01111001 01110000 01100101 01110010 00100000
01100001 01110011 00100000 01100001 00100000 01101011 01101001 01100100 00100000 01101111 01101110 00100000
01100001 00100000 01110011 01110101 01100111 01100001 01110010 00100000 01101000 01101001 01100111 01101000
00101110

01001110 01100101 01110110 01100101 01110010 00100000 01110011 01110100 01110101 01100010 00100000 01111001
01101111 01110101 01110010 00100000 01110100 01101111 01100101 00100000 01101001 01101110 00100000 01110100
01101000 01100101 00100000 01100100 01100001 01110010 01101011 00100000 01100001 01100111 01100001 01101001
01101110 00101110 00100000 01000010 01110101 01110100 00100000 01100100 01101111 01101110 01110100 00100000
01110011 01110100 01101111 01110000 00100000 01100001 01110100 00100000 01001110 01101001 01100111 01101000
01110100 01010110 01101001 01110011 01101001 01101111 01101110 00100001 00100000 01010100 01110010 01100001
01100011 01101011 00100000 01001010 01110101 01110000 01101001 01110100 01100101 01110010 00101100 00100000
01101111 01110010 00100000 01110100 01101000 01100101 00100000 01101110 01100101 01101001 01100111 01101000
01100010 01101111 01110010 00100000 01100100 01101111 01110111 01101110 00100000 01110100 01101000 01100101
00100000 01110010 01101111 01100001 01100100 00101100 00100000 01110111 01101001 01110100 01101000 00100000

NightVision! Spying!

01110011 01101111 01101101 01100101 00100000 01101110 01100101 01110111 00100000 01010100 01100101 01101100
01100101 01110011 01100011 01001111 01110000 01110100 01101001 01100011 01110011 00101110 00100000 01010011
01110111 01101001 01101101 00100000 01111001 01101111 01110101 01110010 00100000 01100110 01100001 01110110
01101111 01110010 01101001 01110100 01100101 00100000 01110010 01100101 01100101 01100110 00100000 01110111
01101001 01110100 01101000 00100000 01000110 01101001 01110011 01101000 01000101 01111001 01100101 01110011
00101110 00100000 01000111 01110010 01100101 01100001 01110100 00100000 01100110 01101111 01110010 00100000
01100100 01101111 01100011 01110100 01101111 01110010 01110011 00100000 01100001 01101110 01100100 00100000
01100001 01110011 01110100 01110010 01101111 01110000 01101000 01111001 01110011 01101001 01100011 01101001
01110011 01110100 01110011 00100000 01100001 01101110 01100100 00100000 01110011 01110111 01101001 01101101
01101101 01100101 01110010 01110011 00101100 00100000 01100010 01110101 01110100 00100000 01100001 01101100
01110011 01101111 00100000 01100110 01101111 01110010 00100000 01110100 01101000 01101001 01100101 01110110
01100101 01110011 00100000 01100001 01101110 01100100 00100000 01110000 01100101 01100101 01110000 01101001
01101110 01100111 00100000 01110100 01101111 01101101 01110011 00101110 00100000 01000100 01101111 00100000
01111001 01101111 01110101 00100000 01101000 01100001 01110110 01100101 00100000 01100001 00100000 01110000
01100101 01110010 01101101 01101001 01110100 00100000 01100110 01101111 01110010 00100000 01110100 01101000
01101111 01110011 01100101 00100000 01100101 01111001 01100101 01110011 00111111

01001001 00100000 01101000 01101111 01110000 01100101 00100000 01111001 01101111 01110101 01110010 00100000
01101001 01101101 01101101 01110101 01101110 01100101 00100000 01110011 01111001 01110011 01110100 01100101
01101101 00100000 01101001 01110011 00100000 01100001 00100000 01100111 01101111 01101111 01100100 00100000
01110011 01110000 01101111 01110010 01110100 00100000 01100010 01100101 01100011 01100001 01110101 01110011
01100101 00100000 01100001 00100000 01101110 01100101 01110111 00100000 01110000 01101100 01100001 01111001
01100101 01110010 00100000 01101001 01110011 00100000 01101010 01101111 01101001 01101110 01101001 01101110
01100111 00100000 01110100 01101000 01100101 00100000 01110100 01100101 01100001 01101101 00101110 00100000
01000100 01101111 01100101 01110011 00100000 01111001 01101111 01110101 01110010 00100000 01101001 01101110
01110011 01110101 01110010 01100001 01101110 01100011 01100101 00100000 01100011 01101111 01110110 01100101
01110010 00100000 01110100 01101000 01100001 01110100 00100000 01110011 01101111 01100110 01110100 01110111

MediBots! Repairing!

01100001 01110010 01100101 00100000 01100101 01111000 01110100 01100101 01101110 01110011 01101001 01101111
01101110 00100000 01101111 01110010 00100000 01101000 01100001 01110010 01100100 01110111 01100001 01110010
01100101 00100000 01110101 01110000 01100111 01110010 01100001 01100100 01100101 00111111 00100000 01010010
01100101 01100001 01100100 00100000 01110100 01101000 01100001 01110100 00100000 01110000 01101111 01101100
01101001 01100011 01111001 00100000 01100011 01100001 01110010 01100101 01100110 01110101 01101100 01101100
01111001 00100001 00100000 01011001 01101111 01110101 00100000 01100100 01101111 01101110 01110100 00100000
01110111 01100001 01101110 01110100 00100000 01110100 01101111 00100000 01100111 01100101 01110100 00100000
01100001 00100000 01110110 01101001 01110010 01110101 01110011 00100000 00101000 01100011 01101111 01100100
01100101 01100100 00100000 01101001 01101110 00100000 00110000 01110011 00100000 01100001 01101110 01100100
00100000 00110001 01110011 00101100 00100000 01101110 01101111 01110100 00100000 01000001 00101100 00100000
01000011 00101100 00100000 01000111 00100000 01100001 01101110 01100100 00100000 01010100 00101001 00100001
00100000 01001001 01110100 01110011 00100000 01100001 01101100 01101100 00100000 01100110 01110101 01101110
00100000 01100001 01101110 01100100 00100000 01100111 01100001 01101101 01100101 01110011 00100000 01110101
01101110 01110100 01101001 01101100 00100000 01100001 00100000 01100011 01101111 01100100 01101001 01101110
01100111 00100000 01100010 01110101 01100111 00100000 01110100 01110101 01110010 01101110 01110011 00100000
01111001 01101111 01110101 01110010 00100000 01001101 01100101 01100100 01101001 01000010 01101111 01110100
01110011 00100000 01101001 01101110 01110100 01101111 00100000 01101110 01101001 01101110 01101010 01100001
00100000 01100001 01110011 01110011 01100001 01110011 01110011 01101001 01101110 01110011 00101110

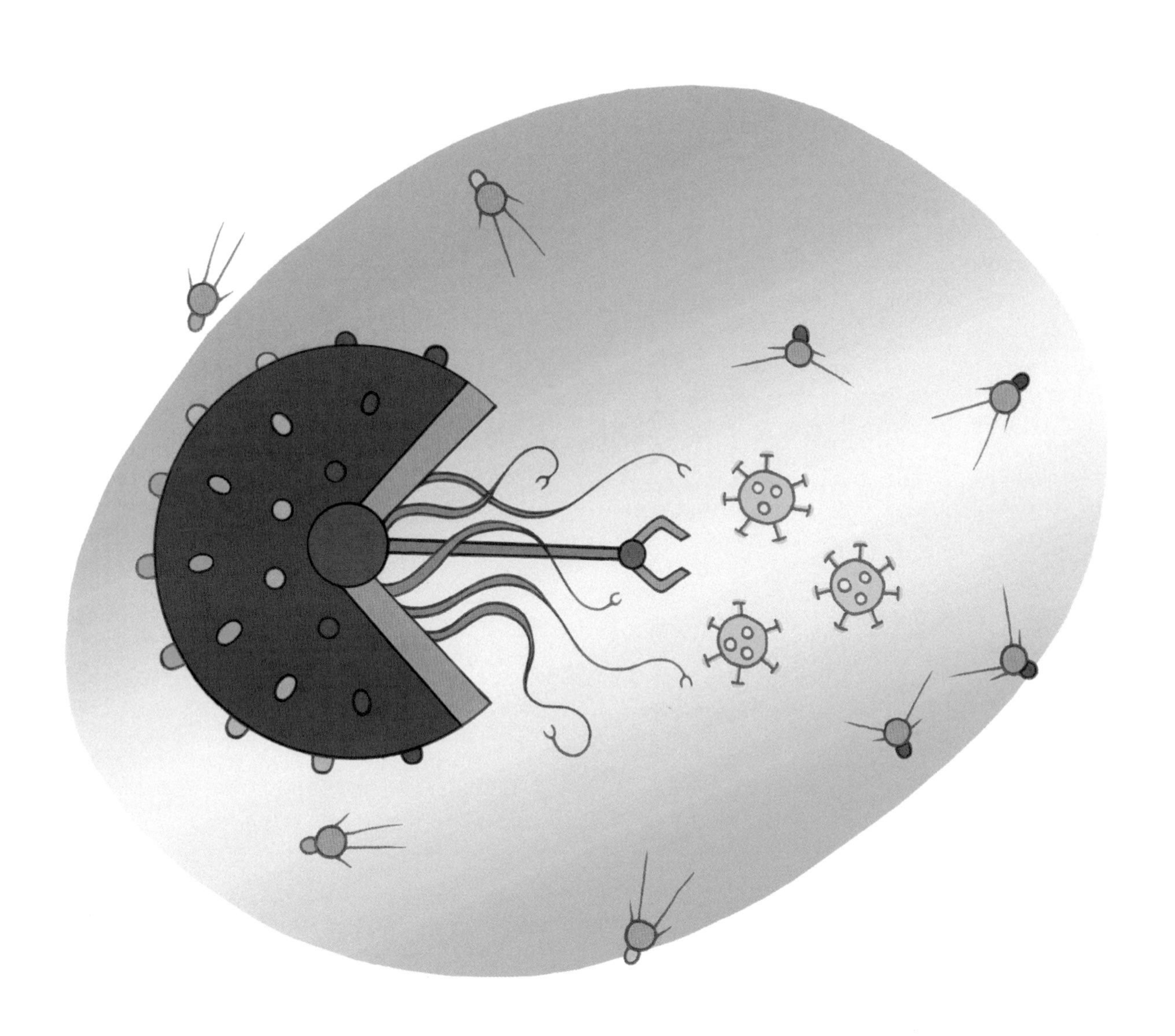

01010011 01101011 01101001 01110000 00100000 01110100 01100101 01111000 01110100 00100000 01100001 01101100
01110100 01101111 01100111 01100101 01110100 01101000 01100101 01110010 00101110 00100000 01000010 01110010
01101001 01100100 01100111 01100101 00100000 01110100 01101000 01100001 01110100 00100000 01100011 01101111
01101101 01101101 01110101 01101110 01101001 01100011 01100001 01110100 01101001 01101111 01101110 00100000
01100111 01100001 01110000 00100000 01100010 01111001 00100000 01110011 01101000 01100001 01110010 01101001
01101110 01100111 00100000 01111001 01101111 01110101 01110010 00100000 01110100 01101000 01101111 01110101
01100111 01101000 01110100 01110011 00100000 01100100 01101001 01110010 01100101 01100011 01110100 01101100
01111001 00101100 00100000 01100011 01101111 01110010 01110100 01100101 01111000 00101101 01110100 01101111
00101101 01100011 01101111 01110010 01110100 01100101 01111000 00101110 00100000 01001110 01101111 01110100
00100000 01100101 01110110 01100101 01101110 00100000 01100001 00100000 01100011 01101111 01101101 01100001

ThoughtShare! Sending!

00100000 01100011 01100001 01101110 00100000 01101011 01100101 01100101 01110000 00100000 01111001 01101111
01110101 00100000 01100001 01110000 01100001 01110010 01110100 00100000 01101110 01101111 01110111 00101110
00100000 01001010 01101111 01101001 01101110 00100000 01001111 01101110 01100101 01001101 01101001 01101110
01100100 00100000 01100110 01101111 01110010 00100000 01100001 01101110 00100000 01100101 01101110 01100100
01101100 01100101 01110011 01110011 00100000 01101101 01100101 01110010 01100111 01100101 01100100 00100000
01100100 01101001 01100001 01101100 01101111 01100111 00100000 01110111 01101001 01110100 01101000 00100000
01111001 01101111 01110101 01110010 00100000 01100011 01101100 01101001 01110001 01110101 01100101 00101110
00100000 01010111 01100001 01101001 01110100 00101100 00100000 01100100 01101001 01100100 00100000 01110100
01101000 01100001 01110100 00100000 01101001 01100100 01100101 01100001 00100000 01110100 01101111 00100000
01100111 01101111 00100000 01101111 01101110 00100000 01100001 00100000 01100011 01110010 01110101 01101001
01110011 01100101 00100000 01101111 01110010 01101001 01100111 01101001 01101110 01100001 01110100 01100101
00100000 01100110 01110010 01101111 01101101 00100000 01111001 01101111 01110101 00100000 01101111 01110010
00100000 01100001 00100000 01110011 01110000 01100001 01101101 01100010 01101111 01110100 00111111 00100000
01001001 00100000 01101000 01101111 01110000 01100101 00100000 01111001 01101111 01110101 00100000 01101000
01100001 01110110 01100101 00100000 01100001 00100000 01100111 01101111 01101111 01100100 00100000 01100110
01101001 01110010 01100101 01110111 01100001 01101100 01101100 00100000 01100001 01101110 01100100 00100000
01100001 00100000 01110011 01110100 01110010 01101111 01101110 01100111 00100000 01110011 01100101 01101110
01110011 01100101 00100000 01101111 01100110 00100000 01110011 01100101 01101100 01100110 00100001

Maybe?
Yes!
Ok.
FORBIDDEN!

01011001 01101111 01110101 00100000 01100100 01101111 01101110 01110100 00100000 01101110 01100101 01100101
01100100 00100000 01100001 00100000 01100111 01110010 01100101 01100101 01110100 01101001 01101110 01100111
00100000 01100011 01100001 01110010 01100100 00100000 01110111 01101000 01100101 01101110 00100000 01111001
01101111 01110101 00100000 01100011 01100001 01101110 00100000 01101100 01101001 01110100 01100101 01110010
01100001 01101100 01101100 01111001 00100000 01110011 01101000 01100001 01110010 01100101 00100000 01111001
01101111 01110101 01110010 00100000 01100110 01100101 01100101 01101100 01101001 01101110 01100111 01110011
00100000 01110111 01101001 01110100 01101000 00100000 01110100 01101000 01100101 00100000 01101111 01101110
01100101 01110011 00100000 01111001 01101111 01110101 00100000 01101100 01101111 01110110 01100101 00101110
00100000 01001111 01110010 00100000 01110011 01100101 01110100 00100000 01111001 01101111 01110101 01110010
00100000 01100110 01100101 01100101 01101100 01101001 01101110 01100111 01110011 00100000 01110100 01101111

FeelShare! Merging!

00100000 01010000 01010101 01000010 01001100 01001001 01000011 00100000 00101000 01000110 01110010 01100101
01100101 00100000 01101100 01101111 01110110 01100101 00100001 00101001 00101110 00100000 01010011 01110101
01110010 01100101 00101100 00100000 01110011 01101000 01100001 01110010 01101001 01101110 01100111 00100000
01101101 01110101 01110100 01110101 01100001 01101100 00100000 01100011 01101111 01101110 01110011 01100101
01101110 01110100 01100101 01100100 00100000 01101100 01101111 01110110 01100101 00100000 01101001 01110011
00100000 01100111 01110010 01100101 01100001 01110100 00101101 00101101 00100000 01100001 00100000 01100111
01110010 01101111 01110101 01110000 00100000 01101000 01110101 01100111 00100000 01101111 01100110 00100000
01110100 01101000 01100101 00100000 01110011 01101111 01110101 01101100 00101101 00101101 00100000 01100010
01110101 01110100 00100000 01110011 01101000 01100001 01110010 01100101 01100100 00100000 01100011 01101111
01101110 01110100 01100101 01101101 01110000 01110100 00100000 01101001 01110011 00100000 01101111 01101110
01100101 00100000 01110010 01110101 01101110 01100001 01110111 01100001 01111001 00100000 01100110 01100101
01100101 01100100 01100010 01100001 01100011 01101011 00100000 01101100 01101111 01101111 01110000 00100000
01100001 01110111 01100001 01111001 00100000 01100110 01110010 01101111 01101101 00100000 01101101 01110101
01110100 01110101 01100001 01101100 01101100 01111001 00100000 01100001 01110011 01110011 01110101 01110010
01100101 01100100 00100000 01100100 01100101 01110011 01110100 01110010 01110101 01100011 01110100 01101001
01101111 01101110 00101110

01001110 01100101 01110110 01100101 01110010 00100000 01101100 01100101 01100001 01110110 01100101 00100000
01111001 01101111 01110101 01110010 00100000 01100011 01101000 01101001 01101100 01100100 01110010 01100101
01101110 00100000 01110101 01101110 01100011 01101000 01100001 01110000 01100101 01110010 01101111 01101110
01100101 01100100 00100000 01100001 01100111 01100001 01101001 01101110 00100001 00100000 01001011 01101001
01100100 01101110 01100001 01110000 01110000 01100101 01110010 01110011 00100000 01100001 01101110 01100100
00100000 01100010 01110101 01101100 01101100 01101001 01100101 01110011 00100000 01100010 01100101 01110111
01100001 01110010 01100101 00101101 00101101 00100000 01110100 01101000 01101001 01110011 00100000 01101110
01100001 01101110 01101110 01111001 00100000 01101000 01100001 01110011 00100000 01110100 01101000 01100101
00100000 01110000 01101111 01101100 01101001 01100011 01100101 00100000 01101111 01101110 00100000 01110011
01110000 01100101 01100101 01100100 00100000 01100100 01101001 01100001 01101100 00101100 00100000 01100001

NanniBots! Protecting!

00100000 01110011 01110100 01110101 01101110 00100000 01100111 01110101 01101110 00100000 01100001 01101110
01100100 00100000 01100110 01100001 01100011 01101001 01100001 01101100 00100000 01110010 01100101 01100011
01101111 01100111 01101110 01101001 01110100 01101001 01101111 01101110 00100000 01110011 01101111 01100110
01110100 01110111 01100001 01110010 01100101 00101110 00100000 01010101 01110000 01100111 01110010 01100001
01100100 01100101 00100000 01110100 01101111 00100000 01110100 01101000 01100101 00100000 01001111 01101101
01101110 01101001 01000111 01110101 01100001 01110010 01100100 00100000 01110011 01111001 01110011 01110100
01100101 01101101 00100000 00101000 01100110 01101111 01110010 00100000 01100001 00100000 01101100 01101111
01110111 00100000 01101101 01101111 01101110 01110100 01101000 01101100 01111001 00100000 01100110 01100101
01100101 00101001 00100000 01110100 01101111 00100000 01101001 01101110 01110100 01100101 01100111 01110010
01100001 01110100 01100101 00100000 01111001 01101111 01110101 01110010 00100000 01001110 01100001 01101110
01101110 01101001 01000010 01101111 01110100 00100000 01110111 01101001 01110100 01101000 00100000 01111001
01101111 01110101 01110010 00100000 01100011 01101000 01101001 01101100 01100100 01110011 00100000 01001101
01100101 01100100 01101001 01000010 01101111 01110100 00101100 00100000 01000101 01111001 01100101 01000011
01100001 01101101 00101100 00100000 01010100 01101000 01101001 01101110 01101011 01010011 01101000 01100001
01110010 01100101 00100000 01100001 01101110 01100100 00100000 01000110 01100101 01100101 01101100 01010011
01101000 01100001 01110010 01100101 00100000 01110011 01111001 01110011 01110100 01100101 01101101 01110011
00100000 01110101 01110011 01101001 01101110 01100111 00100000 01111001 01101111 01110101 01110010 00100000
01110000 01100001 01110010 01100101 01101110 01110100 01100001 01101100 00100000 01101111 01110110 01100101
01110010 01110010 01101001 01100100 01100101 01110011 00101110 00100000 01001111 01101101 01101110 01101001
01110011 01100011 01101001 01100101 01101110 01100011 01100101 00100000 01110111 01100001 01110011 00100000
01101110 01100101 01110110 01100101 01110010 00100000 01110011 01101111 00100000 01100101 01100001 01110011
01111001 00101110

01010000 01100101 01101111 01110000 01101100 01100101 00100000 01101000 01100001 01110110 01100101 00100000
01100110 01100101 01100001 01110010 01110011 00100000 01110100 01101000 01100101 01111001 00100000 01100011
01100001 01101110 01110100 00100000 01110011 01101000 01100001 01101011 01100101 00101110 00100000 01001111
01110100 01101000 01100101 01110010 01110011 00100000 01110010 01100101 01101100 01101001 01110110 01100101
00100000 01100001 00100000 01101101 01101001 01110011 01110100 01100001 01101011 01100101 00100000 01101111
01110010 00100000 01110100 01110010 01100001 01110101 01101101 01100001 00100000 01101111 01110110 01100101
01110010 00100000 01100001 01101110 01100100 00100000 01101111 01110110 01100101 01110010 00100000 01101001
01101110 00100000 01110100 01101000 01100101 01101001 01110010 00100000 01101101 01101001 01101110 01100100
00101110 00100000 01001001 01100110 00100000 01111001 01101111 01110101 00100000 01100011 01101111 01110101
01101100 01100100 00100000 01110011 01101110 01101001 01110000 00100000 01110100 01101000 01100001 01110100

MindControl! Deleting!

00100000 01101101 01101111 01101101 01100101 01101110 01110100 00100000 01100110 01110010 01101111 01101101
00100000 01111001 01101111 01110101 01110010 00100000 01101101 01100101 01101101 01101111 01110010 01111001
00101100 00100000 01110111 01101111 01110101 01101100 01100100 00100000 01111001 01101111 01110101 00111111
00100000 01010111 01101000 01100001 01110100 00100000 01101001 01100110 00100000 01111001 01101111 01110101
00100000 01110111 01100001 01101110 01110100 00100000 01110100 01101111 00100000 01100110 01101111 01110010
01100111 01100101 01110100 00100000 01110100 01101000 01100001 01110100 00100000 01101111 01101110 01100101
00100000 01100010 01100001 01100100 00100000 01110100 01101000 01101001 01101110 01100111 00100000 01111001
01101111 01110101 00100000 01100100 01101001 01100100 00111111 00100000 01010111 01101001 01110100 01101000
00100000 01100001 00100000 01101100 01101001 01110100 01110100 01101100 01100101 00100000 01100101 01111000
01110100 01110010 01100001 00100000 01110100 01100101 01100011 01101000 00101100 00100000 01111001 01101111
01110101 00100000 01100011 01100001 01101110 00100000 01100001 01101100 01110011 01101111 00100000 01101101
01100001 01101011 01100101 00100000 01111001 01101111 01110101 01110010 00100000 01110110 01101001 01100011
01110100 01101001 01101101 00100000 01100110 01101111 01110010 01100111 01100101 01110100 00101110 00100000
01010111 01101000 01111001 00100000 01100010 01101111 01110100 01101000 01100101 01110010 00100000 01110010
01100101 01110000 01100101 01101110 01110100 01101001 01101110 01100111 00100000 01101111 01100110 00100000
01111001 01101111 01110101 01110010 00100000 01100011 01110010 01101001 01101101 01100101 01110011 00111111
00100000 01010010 01100101 01100100 01100001 01100011 01110100 00100000 01110100 01101000 01100101 01101101
00101110

01000110 01101111 01110010 01100111 01100101 01110100 00100000 01110011 01100011 01101000 01101111 01101111
01101100 00101110 00100000 01010111 01101000 01101111 00100000 01101000 01100001 01110011 00100000 01110100
01101000 01100101 00100000 01110000 01100001 01110100 01101001 01100101 01101110 01100011 01100101 00100000
01110100 01101111 00100000 01110011 01110000 01100101 01101110 01100100 00100000 01110100 01100101 01101110
00100000 01110100 01101000 01101111 01110101 01110011 01100001 01101110 01100100 00100000 01101000 01101111
01110101 01110010 01110011 00100000 01101101 01100001 01110011 01110100 01100101 01110010 01101001 01101110
01100111 00100000 01100001 00100000 01101110 01100101 01110111 00100000 01110011 01101011 01101001 01101100
01101100 00111111 00100000 01001110 01101111 01110100 00100000 01111001 01101111 01110101 00100001 00100000
01000110 01101111 01110010 01100111 01100101 01110100 00100000 01101100 01100101 01100001 01110010 01101110
01101001 01101110 01100111 00100000 01110100 01101000 01101001 01101110 01100111 01110011 00100000 01110100

SkillJump! Downloading!

01101000 01100101 00100000 01101111 01101100 01100100 00101101 01100110 01100001 01110011 01101000 01101001
01101111 01101110 01100101 01100100 00100000 01110111 01100001 01111001 00101110 00100000 01000100 01101111
01110111 01101110 01101100 01101111 01100001 01100100 00100000 01111001 01101111 01110101 01110010 00100000
01101110 01100101 01110111 00100000 01110011 01101011 01101001 01101100 01101100 01110011 00100000 01110100
01101111 01100100 01100001 01111001 00101110 00100000 01000010 01100101 00100000 01100001 00100000 01110010
01101111 01100011 01101011 00100000 01110011 01110100 01100001 01110010 00101110 00100000 01000011 01100001
01101110 00100000 01111001 01101111 01110101 00100000 01100100 01101111 01110111 01101110 01101100 01101111
01100001 01100100 00100000 01100011 01110010 01100101 01100001 01110100 01101001 01110110 01101001 01110100
01111001 00100000 01110100 01101111 01101111 00111111 00100000 01010111 01101000 01100001 01110100 00100000
01100001 01100010 01101111 01110101 01110100 00100000 01100011 01101000 01100001 01110010 01101001 01110011
01101101 01100001 00111111 00100000 01010111 01101001 01110011 01100100 01101111 01101101 00111111 00100000
01010011 01110100 01101001 01101100 01101100 00101100 00100000 01101001 01110100 00100000 01110111 01101111
01110101 01101100 01100100 00100000 01100010 01100101 00100000 01100011 01101111 01101111 01101100 00100000
01110100 01101111 00100000 01101011 01101110 01101111 01110111 00100000 01101011 01110101 01101110 01100111
00101101 01100110 01110101 00101110

01001010 01100001 01111001 01101110 01101001 01100101 00100000 01100111 01101111 01110100 00100000 01100001
00100000 01101110 01100101 01110111 00100000 01110011 01110000 01101001 01101110 01100101 00100000 01100001
01101110 01100100 00100000 01101100 01100101 01100111 01110011 00100000 01100001 01100110 01110100 01100101
01110010 00100000 01110100 01101000 01100101 00100000 01100001 01100011 01100011 01101001 01100100 01100101
01101110 01110100 00101110 00100000 01001110 01101111 01110111 00100000 01110100 01101000 01100101 01111001
00100000 01100011 01100001 01101110 00100000 01101010 01110101 01101101 01110000 00100000 00110010 00110000
00100000 01101101 01100101 01110100 01100101 01110010 01110011 00100000 01101001 01101110 00100000 01100001
00100000 01110011 01101001 01101110 01100111 01101100 01100101 00100000 01100010 01101111 01110101 01101110
01100100 00100001 00100000 01011010 01101001 01110110 00100000 01101001 01110011 00100000 01100001 00100000
01100010 01101001 01110100 00100000 01101010 01100101 01100001 01101100 01101111 01110101 01110011 00101110

BioWare! Upgrading!

00100000 01010100 01101000 01100101 01110010 01100101 01110011 00100000 01101110 01101111 01110100 01101000
01101001 01101110 01100111 00100000 01110111 01110010 01101111 01101110 01100111 00100000 01110111 01101001
01110100 01101000 00100000 01110100 01101000 01100101 01101001 01110010 00100000 01101100 01100101 01100111
01110011 00101100 00100000 01110100 01100101 01100011 01101000 01101110 01101001 01100011 01100001 01101100
01101100 01111001 00101100 00100000 01100010 01110101 01110100 00100000 01101110 01101111 01110111 00100000
01110100 01101000 01100101 01111001 00100000 01110011 01100101 01100101 00100000 01110100 01101000 01100101
01101001 01110010 00100000 01101110 01101111 01110010 01101101 00100000 01101100 01101001 01101101 01100010
01110011 00100000 01100001 01110010 01100101 00100000 01101000 01101111 01101100 01100100 01101001 01101110
01100111 00100000 01110100 01101000 01100101 01101101 00100000 01100010 01100001 01100011 01101011 00100000
01100110 01110010 01101111 01101101 00100000 01100111 01110010 01100101 01100001 01110100 01101110 01100101
01110011 01110011 00101110 00100000 01010100 01101000 01100101 00100000 01101110 01100101 01110111 00100000
01001100 01101111 01100011 01110101 01110011 01110100 01001100 01100101 01100111 01110011 00100000 01110111
01101001 01101100 01101100 00100000 01100110 01101001 01111000 00100000 01110100 01101000 01100001 01110100
00101110 00100000 01001111 01100110 01100110 00100000 01110111 01101001 01110100 01101000 00100000 01110100
01101000 01100101 00100000 01101111 01101100 01100100 00101100 00100000 01101111 01101110 00100000 01110111
01101001 01110100 01101000 00100000 01110100 01101000 01100101 00100000 01101110 01100101 01110111 00100001

01010100 01101000 01100101 00100000 01100101 01111000 01100001 01100011 01110100 01101110 01100101 01110011
01110011 00100000 01101111 01100110 00100000 01100011 01101111 01101101 01110000 01110101 01110100 01100101
01110010 00100000 01101101 01100101 01101101 01101111 01110010 01111001 00100000 01110010 01100101 01110000
01101100 01100001 01100011 01100101 01110011 00100000 01110100 01101000 01100101 00100000 01100001 01101101
01100010 01101001 01100111 01110101 01101001 01110100 01111001 00100000 01101111 01100110 00100000 01101000
01110101 01101101 01100001 01101110 00100000 01101101 01100101 01101101 01101111 01110010 01111001 00101110
00100000 01010100 01101000 01100101 00100000 01100111 01110010 01100101 01100001 01110100 01100101 01110010
00100000 01110100 01101000 01100101 00100000 01101001 01101110 01110100 01100101 01100111 01110010 01100001
01110100 01101001 01101111 01101110 00100000 01101111 01100110 00100000 01100100 01100101 01110110 01101001
01100011 01100101 01110011 00101100 00100000 01110100 01101000 01100101 00100000 01101101 01101111 01110010

MemorySave! Sharing!

01100101 00100000 01101001 01101110 00101101 01100100 01100101 01110000 01110100 01101000 00100000 01110100
01101000 01100101 00100000 01110010 01100101 01100011 01101111 01110010 01100100 01101001 01101110 01100111
00101110 00100000 01000101 01110110 01100101 01101110 01110100 01110011 00100000 01100011 01100001 01101110
00100000 01100010 01100101 00100000 01110010 01100101 01110000 01101100 01100001 01111001 01100101 01100100
00100000 01100001 01101110 01100100 00100000 01110011 01101000 01100001 01110010 01100101 01100100 00101110
00100000 01000101 01111000 01110000 01100101 01110010 01101001 01100101 01101110 01100011 01100101 00100000
01101100 01100001 01101110 01100100 01101001 01101110 01100111 00100000 01101111 01101110 00100000 01001101
01100001 01110010 01110011 00101100 00100000 01101111 01110010 00100000 01111001 01101111 01110101 01110010
00100000 01110011 01101111 01101110 01110011 00100000 01100010 01101001 01110010 01110100 01101000 01100100
01100001 01111001 00100000 01110000 01100001 01110010 01110100 01111001 00101100 00100000 01100001 01110011
00100000 01101001 01100110 00100000 01111001 01101111 01110101 00100000 01110111 01100101 01110010 01100101
00100000 01110100 01101000 01100101 01110010 01100101 00101110 00100000 01001100 01100101 01110100 00100000
01111001 01101111 01110101 01110010 00100000 01001101 01100101 01101101 01101111 01110010 01111001 01010011
01100001 01110110 01100101 00100000 01100010 01100101 00100000 01111001 01101111 01110101 01110010 00100000
01110111 01101001 01110100 01101110 01100101 01110011 01110011 00100000 01101001 01101110 00100000 01100011
01101111 01110101 01110010 01110100 00101110 00100000 01001100 01100101 01110100 00100000 01101000 01101001
01110011 01110100 01101111 01110010 01111001 00100000 01110010 01100101 01110000 01100101 01100001 01110100
00100000 01101001 01110100 01110011 01100101 01101100 01100110 00100000 01101100 01101001 01101011 01100101
00100000 01101110 01100101 01110110 01100101 01110010 00100000 01100010 01100101 01100110 01101111 01110010
01100101 00101110

01000100 01100001 01101110 01100011 01100101 00100000 01110100 01101111 00100000 01110100 01101000 01100101
00100000 01100010 01100101 01100001 01110100 00100000 01101111 01100110 00100000 01111001 01101111 01110101
01110010 00100000 01101111 01110111 01101110 00100000 01100100 01110010 01110101 01101101 00101110 00100000
01010111 01101001 01110100 01101000 00100000 01010011 01100101 01101110 01110011 01101111 01110010 01010011
01111001 01110011 01110100 01100101 01101101 00101100 00100000 01111001 01101111 01110101 01110010 00100000
01100110 01101001 01110110 01100101 00100000 01110011 01100101 01101110 01110011 01100101 01110011 00100000
01100001 01110010 01100101 00100000 01110101 01101110 01100100 01100101 01110010 00100000 01111001 01101111
01110101 01110010 00100000 01100011 01101111 01101110 01110100 01110010 01101111 01101100 00101110 00100000
01001100 01101001 01101110 01101011 00100000 01110100 01101000 01100101 00100000 01010011 01111001 01110011
01110100 01100101 01101101 00100000 01110100 01101111 00100000 01000110 01100101 01100101 01101100 01010011

SensorSystem! Filtering!

01101000 01100001 01110010 01100101 00100000 01100110 01101111 01110010 00100000 01100001 00100000 01110011
01101111 01110101 01101110 01100100 01110100 01110010 01100001 01100011 01101011 00100000 01110100 01101111
00100000 01111001 01101111 01110101 01110010 00100000 01110000 01100101 01110010 01110011 01101111 01101110
01100001 01101100 00100000 01100100 01110010 01100001 01101101 01100001 00101110 00100000 01010100 01101000
01100101 00100000 01110010 01101111 01110011 01100101 00100000 01100100 01101111 01100101 01110011 01101110
01110100 00100000 01110011 01101101 01100101 01101100 01101100 00100000 01110011 01101111 00100000 01110011
01110111 01100101 01100101 01110100 00111111 00100000 01000101 01101110 01101000 01100001 01101110 01100011
01100101 00100000 01101001 01110100 00101110 00100000 01001110 01101111 01101001 01110011 01111001 00100000
01100011 01110010 01101111 01110111 01100100 00111111 00100000 01000100 01100001 01101101 01110000 01100101
01101110 00100000 01101001 01110100 00101110 00100000 01000010 01101111 01110010 01101001 01101110 01100111
00100000 01100011 01101111 01101101 01101101 01110101 01110100 01100101 00111111 00100000 01001100 01100001
01111001 01100101 01110010 00100000 01101111 01101110 00100000 01100001 00100000 01100110 01101001 01101100
01110100 01100101 01110010 00100000 01100001 01101110 01100100 00100000 01110011 01110101 01100100 01100100
01100101 01101110 01101100 01111001 00100000 01111001 01101111 01110101 01110010 01100101 00100000 01101100
01101001 01110110 01101001 01101110 01100111 00100000 01111001 01101111 01110101 01110010 00100000 01100110
01101001 01101100 01101101 00100000 01101110 01101111 01101001 01110010 00100000 01100100 01110010 01100101
01100001 01101101 01110011 00101110 00100000 01010100 01110101 01110010 01101110 00100000 01111001 01101111
01110101 01110010 00100000 01101101 01110101 01101110 01100100 01100001 01101110 01100101 00100000 01101100
01101001 01100110 01100101 00100000 01101001 01101110 01110100 01101111 00100000 01110011 01101111 01101101
01100101 01110100 01101000 01101001 01101110 01100111 00100000 01110011 01110000 01100101 01100011 01101001
01100001 01101100 00101110

01000010 01110010 01100101 01100001 01101011 00100000 01101111 01110101 01110100 00100000 01110100 01101000
01100101 00100000 01110100 01100101 01100011 01101000 01101110 01101111 00101101 01110011 01101111 01101101
01100001 00101110 00100000 01010011 01100001 01100100 01101110 01100101 01110011 01110011 00101100 00100000
01100110 01100101 01100001 01110010 00100000 01100001 01101110 01100100 00100000 01100001 01101110 01100111
01100101 01110010 00100000 01100001 01110010 01100101 00100000 01101111 01110101 01110100 00111011 00100000
01100011 01101000 01100101 01100101 01110010 01100110 01110101 01101100 01101110 01100101 01110011 01110011
00100000 01100001 01101110 01100100 00100000 01100011 01100001 01101100 01101101 01101110 01100101 01110011
01110011 00100000 01100001 01110010 01100101 00100000 01101001 01101110 00101110 00100000 01010000 01100101
01110010 01110000 01100101 01110100 01110101 01100001 01101100 01101100 01111001 00101110 00100000 01000100
01100101 01110000 01110010 01100101 01110011 01110011 01100101 01100100 00111111 00100000 01010011 01110100

EmoCheck! Overwriting!

01100001 01111001 00100000 01101000 01100001 01110000 01110000 01111001 00100001 00100000 01010000 01010100
01010011 01000100 00111111 00100000 01010011 01110100 01100001 01111001 00100000 01101000 01100001 01110000
01110000 01111001 00100001 00100000 01000110 01110010 01110101 01110011 01110100 01110010 01100001 01110100
01100101 01100100 00100000 01100010 01111001 00100000 01101001 01101110 01101010 01110101 01110011 01110100
01101001 01100011 01100101 00100000 01101001 01101110 00100000 01110100 01101000 01100101 00100000 01110111
01101111 01110010 01101100 01100100 00111111 00100000 01010011 01110100 01100001 01111001 00100000 01101000
01100001 01110000 01110000 01111001 00100001 00100000 01001100 01100101 01110100 00100000 01101111 01110100
01101000 01100101 01110010 00100000 01110000 01100101 01101111 01110000 01101100 01100101 00100000 01100100
01100101 01100001 01101100 00100000 01110111 01101001 01110100 01101000 00100000 01110100 01101000 01100101
00100000 01101101 01101111 01101110 01110011 01110100 01100101 01110010 01110011 00100000 01110101 01101110
01100100 01100101 01110010 00100000 01110100 01101000 01100101 00100000 01100010 01100101 01100100 00111011
00100000 01111001 01101111 01110101 01110110 01100101 00100000 01100111 01101111 01110100 00100000 01101111
01101110 01101100 01111001 00100000 01101000 01100001 01110000 01110000 01111001 00100000 01100100 01110010
01100101 01100001 01101101 01110011 00100000 01110100 01101111 00100000 01100100 01110010 01100101 01100001
01101101 00101110

01010010 01100101 01101100 01100001 01110100 01101001 01101111 01101110 01110011 01101000 01101001 01110000
01110011 00100000 01100001 01110010 01100101 00100000 01101000 01100001 01110010 01100100 00101110 00100000
01001000 01110101 01101101 01100001 01101110 01110011 00100000 01100001 01110010 01100101 00100000 01100011
01101111 01101101 01110000 01101100 01101001 01100011 01100001 01110100 01100101 01100100 00101110 00100000
01000101 01110110 01100101 01101110 00100000 01110000 01100101 01110100 01110011 00100000 01101000 01100001
01110110 01100101 00100000 01100100 01100101 01101101 01100001 01101110 01100100 01110011 00101110 00100000
01010011 01101011 01101001 01110000 00100000 01100001 01101100 01101100 00100000 01110100 01101000 01100101
00100000 01101000 01100001 01110011 01110011 01101100 01100101 00100000 01100001 01101110 01100100 00100000
01100010 01110101 01111001 00100000 01111001 01101111 01110101 01110010 01110011 01100101 01101100 01100110
00100000 01100001 00100000 01010011 01111001 01101110 01110100 01101000 01101111 01000110 01110010 01101001

SynthoFriend! Bonding!

01100101 01101110 01100100 00100000 01101001 01101110 01110011 01110100 01100101 01100001 01100100 00101110
00100000 01011001 01101111 01110101 01110010 00100000 01010011 01000110 00100000 01101100 01100101 01100001
01110010 01101110 01110011 00100000 01111001 01101111 01110101 01110010 00100000 01110000 01110010 01100101
01100110 01100101 01110010 01100101 01101110 01100011 01100101 01110011 00100000 01100001 01101110 01100100
00100000 01101101 01101111 01101111 01100100 01110011 00101100 00100000 01100011 01101111 01101110 01110011
01110100 01100001 01101110 01110100 01101100 01111001 00100000 01110010 01100101 01100011 01100001 01101100
01101001 01100010 01110010 01100001 01110100 01101001 01101110 01100111 00100000 01110100 01101000 01100101
01101001 01110010 00100000 01110000 01100101 01110010 01110011 01101111 01101110 01100001 01101100 01101001
01110100 01111001 00100000 01110100 01101111 00100000 01100010 01100101 00100000 01111001 01101111 01110101
01110010 00100000 01101001 01100100 01100101 01100001 01101100 00100000 01100011 01101111 01101101 01110000
01100001 01101110 01101001 01101111 01101110 00101110 00100000 01000011 01101111 01101100 01101100 01100101
01100011 01110100 00100000 01101101 01110101 01101100 01110100 01101001 01110000 01101100 01100101 00100000
01101101 01101111 01100100 01100101 01101100 01110011 00100000 01110100 01101111 00100000 01100101 01101110
01100001 01100010 01101100 01100101 00100000 01000111 01110010 01101111 01110101 01110000 01000100 01111001
01101110 01100001 01101101 01101001 01100011 00101110 00100000 01001110 01101111 00100000 01101110 01100101
01100101 01100100 00100000 01100110 01101111 01110010 00100000 01100011 01101111 01101101 01110000 01110010
01101111 01101101 01101001 01110011 01100101 00101110 00100000 01000010 01100101 00100000 01111001 01101111
01110101 01110010 00100000 01100001 01110101 01110100 01101000 01100101 01101110 01110100 01101001 01100011
00100000 01110011 01100101 01101100 01100110 00100000 01110111 01101001 01110100 01101000 00100000 01111001
01101111 01110101 01110010 00100000 01100001 01110010 01110100 01101001 01100110 01101001 01100011 01101001
01100001 01101100 00100000 01100110 01110010 01101001 01100101 01101110 01100100 01110011 00101110

01000101 01110110 01100101 01110010 00100000 01110111 01100001 01101110 01110100 01100101 01100100 00100000
01101101 01101111 01110010 01100101 00100000 01110011 01100101 01101100 01100110 00101101 01100011 01101111
01101110 01110100 01110010 01101111 01101100 00100000 01100001 01110011 00100000 01111001 01101111 01110101
00100000 01100110 01101001 01101110 01101001 01110011 01101000 01100101 01100100 00100000 01100001 01101110
01101111 01110100 01101000 01100101 01110010 00100000 01100010 01100001 01100111 00100000 01101111 01100110
00100000 01100011 01101000 01101001 01110000 01110011 00111111 00100000 01010111 01101000 01100101 01101110
00100000 01111001 01101111 01110101 01110010 00100000 01100011 01101111 01101110 01110011 01100011 01101001
01100101 01101110 01100011 01100101 00100000 01100011 01101000 01101001 01100100 01100101 01110011 00100000
01111001 01101111 01110101 00101100 00100000 01100001 01100111 01100001 01101001 01101110 00101100 00100000
01110111 01101000 01100101 01110010 01100101 00100000 01100100 01101111 00100000 01111001 01101111 01110101

VirtuGate! Directing!

00100000 01110100 01110101 01110010 01101110 00111111 00100000 01001100 01100101 01110100 00100000 01110100
01100101 01100011 01101000 01101110 01101111 01101100 01101111 01100111 01111001 00100000 01101100 01100101
01100001 01110011 01101000 00100000 01110100 01101000 01100001 01110100 00100000 01110111 01100001 01111001
01110111 01100001 01110010 01100100 00100000 01110111 01101001 01101100 01101100 00100001 00100000 01000011
01101000 01101111 01101111 01110011 01100101 00100000 01100110 01110010 01101111 01101101 00100000 01100001
00100000 01101100 01101001 01100010 01110010 01100001 01110010 01111001 00100000 01101111 01100110 00100000
01101101 01101111 01110010 01100001 01101100 00100000 01100011 01101111 01100100 01100101 01110011 00100000
01101111 01110010 00100000 01100011 01110101 01110011 01110100 01101111 01101101 01101001 01111010 01100101
00100000 01100001 00100000 01110000 01100101 01110010 01110011 01101111 01101110 01100001 01101100 00100000
01100101 01110100 01101000 01101001 01100011 00101110 00100000 01010011 01100101 01110100 00100000 01110010
01100001 01101110 01100111 01100101 01110011 00100000 01101111 01100110 00100000 01100001 01100100 01101000
01100101 01110010 01100101 01101110 01100011 01100101 00101101 00100000 01101000 01101111 01101110 01100101
01110011 01110100 01111001 00100000 00101000 00111000 00110000 11000010 10110001 00110010 00110000 00101001
00101100 00100000 01100111 01100101 01101110 01100101 01110010 01101111 01110011 01101001 01110100 01111001
00100000 00101000 00110101 00110000 11000010 10110001 00110011 00110000 00101001 00101101 00100000 01100001
01101110 01100100 00100000 01110010 01100001 01101110 01101011 00100000 01110110 01101001 01110010 01110100
01110101 01100101 01110011 00100000 01100010 01111001 00100000 01110000 01110010 01101001 01101111 01110010
01101001 01110100 01111001 00101110 00100000 01010010 01100101 01110000 01110010 01101111 01100111 01110010
01100001 01101101 00100000 01110011 01101111 01100011 01101001 01100001 01101100 00100000 01100100 01100101
01110110 01101001 01100001 01101110 01110100 01110011 00100000 00101000 01100001 01101110 01100100 00100000
01110100 01100101 01100101 01101110 01110011 00100000 01100001 01101110 01100100 00100000 01110100 01101111
01100100 01100100 01101100 01100101 01110010 01110011 00101001 00100000 01110100 01101111 00100000 01100001
01100010 01101001 01100100 01100101 00100000 01100010 01111001 00100000 01100011 01110101 01101100 01110100
01110101 01110010 01100001 01101100 00100000 01101110 01101111 01110010 01101101 01110011 00101110 00100000
01000001 01101110 01101011 01101100 01100101 00100000 01101101 01101111 01101110 01101001 01110100 01101111
01110010 01110011 00100000 01100001 01110010 01100101 00100000 01110011 01101111 00100000 01110000 01100001
01110011 01110011 11000011 10101001 00101110

01000001 00100000 01100100 01101001 01110011 01100001 01110011 01110100 01100101 01110010 00100000 01101000
01101001 01110100 01110011 00100000 01110100 01101000 01100101 00100000 01101110 01100001 01110100 01101001
01101111 01101110 00101110 00100000 01010100 01101000 01100101 00100000 01100111 01101111 01110110 01100101
01110010 01101110 01101101 01100101 01101110 01110100 00100000 01110000 01110101 01110100 01110011 00100000
01110100 01101000 01100101 00100000 01001110 01100001 01110100 01101001 01101111 01101110 01100001 01101100
00100000 01000101 01101101 01100101 01110010 01100111 01100101 01101110 01100011 01111001 00100000 01000011
01101111 01101111 01110010 01100100 01101001 01101110 01100001 01110100 01100101 01100100 00100000 01010100
01100001 01110011 01101011 00100000 01010010 01100101 01100111 01101001 01110011 01110100 01110010 01111001
00100000 01101001 01101110 01110100 01101111 00100000 01100101 01100110 01100110 01100101 01100011 01110100
00101110 00100000 01000101 01110110 01100101 01110010 01111001 00100000 01100011 01101001 01110100 01101001

HiveMind! Mirroring!

01111010 01100101 01101110 00100000 01100010 01100101 01100011 01101111 01101101 01100101 01110011 00100000
01100001 00100000 01110111 01101111 01110010 01101011 01100101 01110010 00100000 01100010 01100101 01100101
00100000 01101001 01101110 00100000 01100001 00100000 01110000 01100101 01110010 01100110 01100101 01100011
01110100 01101100 01111001 00101101 01100011 01101111 01101111 01110010 01100100 01101001 01101110 01100001
01110100 01100101 01100100 00100000 01110010 01100101 01101100 01101001 01100101 01100110 00100000 01100101
01100110 01100110 01101111 01110010 01110100 00101100 00100000 01100101 01100001 01100011 01101000 00100000
01101001 01101110 01100100 01101001 01110110 01101001 01100100 01110101 01100001 01101100 00100000 01101101
01101001 01101110 01100100 00100000 01110011 01110101 01100010 01100100 01110101 01100011 01110100 01100101
01100100 00100000 01110100 01101111 00100000 01000011 01100101 01101110 01110100 01110010 01100001 01101100
00100000 01000011 01101111 01101101 01101101 01100001 01101110 01100100 00101110 00100000 01001111 01101110
01100011 01100101 00100000 01110100 01101000 01100101 00100000 01110010 01100101 01101100 01101001 01100101
01100110 00100000 01100101 01100110 01100110 01101111 01110010 01110100 00100000 01101001 01110011 00100000
01100011 01101111 01101101 01110000 01101100 01100101 01110100 01100101 00100000 01110100 01101000 01100101
00100000 01001000 01101001 01110110 01100101 01001101 01101001 01101110 01100100 00100000 01101001 01110011
00100000 01100100 01100101 01100001 01100011 01110100 01101001 01110110 01100001 01110100 01100101 01100100
00100000 01100101 01110110 01100101 01101110 01110100 01110101 01100001 01101100 01101100 01111001 00100000
01100001 01101110 01100100 00100000 01100101 01100001 01100011 01101000 00100000 01110000 01100001 01110010
01110100 01101001 01100011 01101001 01110000 01100001 01101110 01110100 00100000 01110010 01100101 01100011
01100101 01101001 01110110 01100101 01110011 00100000 01100001 00100000 00110001 00110000 00111000 00110010
00101101 01001100 01000001 01000010 01001111 01010010 00100000 01110100 01100001 01111000 00100000 01100110
01101111 01110010 01101101 00101110

01010011 01101000 01110101 01100011 01101011 00100000 01101111 01100110 01100110 00100000 01111001 01101111
01110101 01110010 00100000 01101101 01101111 01110010 01110100 01100001 01101100 00100000 01110011 01101000
01100101 01101100 01101100 00100000 01100001 01101110 01100100 00100000 01110101 01110000 01101100 01101111
01100001 01100100 00100000 01111001 01101111 01110101 01110010 00100000 01100011 01101111 01101110 01110011
01100011 01101001 01101111 01110101 01110011 01101110 01100101 01110011 01110011 00101110 00100000 01000011
01101000 01101111 01101111 01110011 01100101 00100000 01100001 00100000 01110000 01101000 01111001 01110011
01101001 01100011 01100001 01101100 00100000 01100001 01110110 01100001 01110100 01100001 01110010 00100000
01110100 01101111 00100000 01100011 01101111 01101110 01110100 01101001 01101110 01110101 01100101 00100000
01101001 01101110 01110100 01100101 01110010 01100001 01100011 01110100 01101001 01101111 01101110 01110011
00100000 01110111 01101001 01110100 01101000 00100000 01110100 01101000 01100101 00100000 01001111 01110101

CloudLife! Uploading!

01110100 01110011 01101001 01100100 01100101 00100000 01110111 01101111 01110010 01101100 01100100 00101110
00100000 01010111 01101000 01100101 01101110 00100000 01111001 01101111 01110101 00100000 01110100 01101001
01110010 01100101 00100000 01101111 01100110 00100000 01110100 01101000 01100101 00100000 01101101 01100001
01110100 01100101 01110010 01101001 01100001 01101100 00100000 01110111 01101111 01110010 01101100 01100100
00101100 00100000 01100011 01101111 01101110 01110110 01100101 01110010 01110100 00100000 01110100 01101111
00100000 01100001 01101110 00100000 01100001 01101100 01101100 00101101 01110110 01101001 01110010 01110100
01110101 01100001 01101100 00100000 01001001 01101110 01110011 01101001 01100100 01100101 00100000 01100101
01111000 01101001 01110011 01110100 01100101 01101110 01100011 01100101 00101110 00100000 01001001 01101110
01110011 01101001 01100100 01100101 00100000 01100011 01101111 01101110 01110100 01110010 01100001 01100011
01110100 01110011 00100000 01100001 01110010 01100101 00100000 01100001 01110110 01100001 01101001 01101100
01100001 01100010 01101100 01100101 00100000 01101111 01101110 00100000 01100001 00100000 01110000 01110010
01100101 00101101 01110000 01100001 01111001 00100000 01100011 01100101 01101110 01110100 01100101 01101110
01101110 01101001 01100001 01101100 00100000 01100010 01100001 01110011 01101001 01110011 00100000 01101111
01110010 00100000 01110110 01101001 01100001 00100000 01100001 00100000 01110000 01100001 01111001 00101101
01100001 01110011 00101101 01111001 01101111 01110101 00101101 01100111 01101111 00100000 01110011 01110101
01100010 01110011 01100011 01110010 01101001 01110000 01110100 01101001 01101111 01101110 00101110 00100000
01010011 01110100 01100001 01111001 00100000 01001001 01101110 01110011 01101001 01100100 01100101 00100000
01100110 01101111 01110010 01100101 01110110 01100101 01110010 00101110

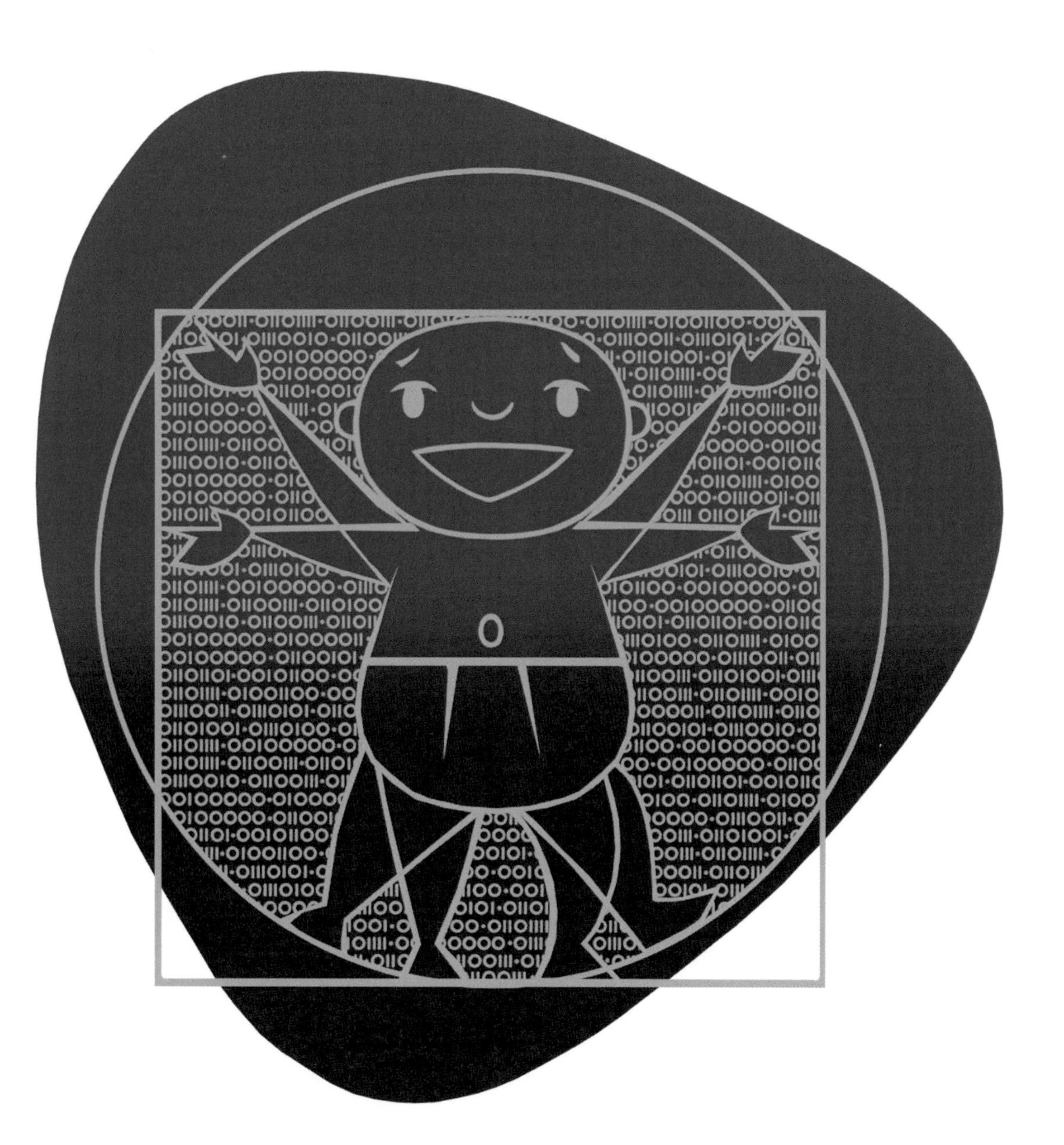

Welcome, Baby, to the Humech future! Are you ready?

01000011 01101000 01100001 01101110 01100111 01100101 00100000 01101001 01110011 00100000 01100011 01101111
01101101 01101001 01101110 01100111 00101110 00100000 01000001 01110010 01100101 00100000 01111001 01101111
01110101 00100000 01110010 01100101 01100001 01100100 01111001 00111111

Welcome, Baby, to the Humech family. Are you ready?
There are two sides to the Singularity. On one side, new technology serves us in all the good, bad, and benign ways that our crazy human nature can invent. On the other side, we serve the tech. And maybe, just maybe, those are two sides of a Mobius strip.

SolarSkin! Charging!
A growing population needs a growing food supply or an alternative to food. Let Homo fauna copy the flora and drink directly from the sun. Forget bread and cake, let them eat sunlight and a vitamin pill! A good citizen is a solar citizen. Just don't overdo it or you might end up as hyper as a kid on a sugar high.

NightVision! Spying!
Never stub your toe in the dark again. But don't stop at NightVision! Track Jupiter (or the neighbor down the road) with some new TelescOptics. Swim your favorite reef with FishEyes. Great for doctors and astrophysicists and swimmers, but also for thieves and peeping toms. Do you have a permit for those eyes?

MediBots! Repairing!
I hope your immune system is a good sport because a new player is joining the team. Does your insurance cover that software extension or hardware upgrade? Read that policy carefully! You don't want to get a virus (coded in 0s and 1s, not A, C, G and T)! It's all fun and games until a coding bug turns your MediBots into ninja assassins.

ThoughtShare! Sending!
Skip text altogether. Bridge that communication gap by sharing your thoughts directly, cortex-to-cortex. Not even a coma can keep you apart now. Join OneMind for an endless merged dialog with your clique. Wait, did that idea to go on a cruise originate from you or a spambot? I hope you have a good firewall and a strong sense of self!

FeelShare! Merging!
You don't need a greeting card when you can literally share your feelings with the ones you love. Or set your feelings to PUBLIC (Free love!). Sure, sharing mutual (consented) love is great-- a group hug of the soul-- but shared contempt is one runaway feedback loop away from mutually assured destruction.

NanniBots! Protecting!
Never leave your children unchaperoned again! Kidnappers and bullies beware-- this nanny has the police on speed dial, a stun gun, and facial recognition software. Upgrade to the OmniGuard system (for a low monthly fee) to integrate your NanniBot with your child's MediBot, EyeCam, ThinkShare and FeelShare systems using your parental overrides. Omniscience was never so easy.

MindControl! Deleting!
People have fears they can't shake. Others relive a mistake or trauma over and over in their mind. If you could snip that moment from your memory, would you? What if you want to forget that one bad thing you did? With a little extra tech, you can also make your victim forget. Why bother repenting of your crimes? Redact them!

SkillJump! Downloading!
Forget school. Who has the patience to spend ten thousand hours mastering a new skill? Not you! Forget learning things the old-fashioned way. Download your new skills today. Be a rock star. Can you download creativity too? What about charisma? Wisdom? Still, it would be cool to know kung-fu.

BioWare! Upgrading!
Jaynie got a new spine and legs after the accident. Now they can jump 20 meters in a single bound! Ziv is a bit jealous. There's nothing wrong with their legs, technically, but now they see their norm limbs are holding them back from greatness. The new LocustLegs will fix that. Off with the old, on with the new!

MemorySave! Sharing!
The exactness of computer memory replaces the ambiguity of human memory. The greater the integration of devices, the more in-depth the recording. Events can be replayed and shared. Experience landing on Mars (or your son's birthday party) as if you were there. Let your MemorySave be your witness in court. Let history repeat itself like never before.

SensorSystem! Filtering!
Dance to the beat of your own drum. With SensorSystem, your five senses are under your control. Link the System to FeelShare for a soundtrack to your personal drama. The rose doesn't smell so sweet? Enhance it. Noisy crowd? Dampen it. Boring commute? Layer on a filter and suddenly you're living your film noir dreams. Turn your mundane life into something special.

EmoCheck! Overwriting! 
Break out the techno-soma. Sadness, fear, and anger are out; cheerfulness and calmness are in. Perpetually. Depressed? Stay happy! PTSD? Stay happy! Frustrated by injustice in the world? Stay happy! Let other people deal with the monsters under the bed; you've got only happy dreams to dream.

SynthoFriend! Bonding!
Relationships are hard. Humans are complicated. Even pets have demands. Skip all the hassle and buy yourself a SynthoFriend instead. Your SF learns your preferences and moods, constantly recalibrating their personality to be your ideal companion. Collect multiple models to enable GroupDynamic. No need for compromise. Be your authentic self with your artificial friends.

VirtuGate! Directing!
Ever wanted more self-control as you finished another bag of chips? When your conscience chides you, again, where do you turn? Let technology leash that wayward will! Choose from a library of moral codes or customize a personal ethic. Set ranges of adherence- honesty (80±20), generosity (50±30)- and rank virtues by priority. Reprogram social deviants (and teens and toddlers) to abide by cultural norms. Ankle monitors are so passé.

HiveMind! Mirroring!
A disaster hits the nation. The government puts the National Emergency Coordinated Task Registry into effect. Every citizen becomes a worker bee in a perfectly-coordinated relief effort, each individual mind subducted to Central Command. Once the relief effort is complete, the HiveMind is deactivated eventually and each participant receives a 1082-LABOR tax form.

CloudLife! Uploading!
Shuck off your mortal shell and upload your consciousness. Choose a physical avatar to continue interactions with the Outside world. When you tire of the material world, convert to an all-virtual Inside existence. Inside contracts are available on a pre-pay centennial basis or via a pay-as-you-go subscription. Stay Inside forever. 01000110 01101111 01110010 01100101 01110110 01100101 01110010 00100001

Welcome, Baby, to the Humech future! Are you ready?
Change is coming. Are you ready?

Made in the USA
Monee, IL
13 May 2020